中国碑帖经典

柳公权金刚经

图书在版编目（CIP）数据

柳公权金刚经 / 上海书画出版社编．—上海：
上海书画出版社，2001.12
（中国碑帖经典）
ISBN 978-7-80672-095-0

Ⅰ. 柳… Ⅱ. 上… Ⅲ. 楷书－碑帖－中国－唐代
Ⅳ. J292.24

中国版本图书馆 CIP 数据核字（2005）第028124号

柳公权金刚经

本社　编

责任编辑　方传鑫
封面设计　王　峥
技术编辑　钱勤毅　梁佳琦

出版发行　上海世纪出版集团
上海书画出版社
地址　上海市闵行区号景路159弄A座4楼
邮政编码　201101
网址　www.shshuhua.com
E-mail　shcpph@163.com
印刷　上海文艺大一印刷有限公司
经销　各地新华书店
开本　890×1240　1/16
印张　4
版次　2001年12月第1版
2023年3月第12次印刷

书号　ISBN 978-7-80672-095-0
定价　38.00元

柳公权《金刚经》简介

《金刚经》刻于唐长庆四年（八二四）四月，系柳公权四十七岁时所作，全称《金刚般若波罗蜜多经》，为右街僧录淮公书。原石早佚，一九〇八年在敦煌石窟发现唐拓孤本，一字未损，极为稀罕，现藏法国巴黎博物院。上海有正书局、文明书局、中华书局、文物出版社均有影印本行世。

杜甫认为『书贵瘦硬方通神』，这代表了当时的一种审美理念，在唐代书法中当以欧阳询、柳公权为其代表。欧阳询沿袭北碑之法，以瘦硬笔法来体现一种方正峻利、强悍旷迈之势，然而又不乏南朝儒雅之姿及风韵之秀，故其瘦硬之书仍有骨硬肉丰，刚而不狠的特点。到了中唐，其审美趣味已趋向丰腴之态，以肥为美，故有颜书行世，任何事物到了一定程度都会开始向相反方向发展。柳公权即是一例，他力图避免颜书的过于丰满茂密，以瘦劲出之，变内蕴为外拓，追求一种笔到力到，清癯精劲的艺术情调。《金刚经》为柳公权早期作品，字不大但用笔灵巧劲健，虽多有与『颜书』同法之处，但明显地摒弃了『蚕头雁尾』的用笔之法，而多融入魏晋及初唐楷意，并掺之以北碑的骨力洞达，故初观此碑似觉平常，颇有剑拔弩张之势，然细察之则一招一式颇富变化，方劲整饬中寓清灵通秀之气，其一点一画，一如刀斫般齐整，干脆利落，节奏明快，极富动感。故而人们将『柳体』的特征概括为：精于点画、谨于间架、法度森严而富庙堂气象。于此碑可见一斑。

宋董逌《广川书跋》：『此经本出于西明寺。柳自谓备有钟、王、欧、虞、陆（柬之）之体。今考其书，诚为绝艺，尤可贵也。』自得之情溢于言表。

后世学颜者多于学柳者，为何？明代项穆《书法雅言》中说：『柳诚悬骨鲠气刚，耿介特立，然严厉不温和矣。』柳公权书法一如其人，刚正不阿，风骨铮铮，故常人畏其严厉。然却未窥视到其严中寓情的一面，不可不谓是种遗憾。柳书三昧我们尽可从《金刚经》中体味之。

胡传海

金剛般若波羅蜜經

如是我聞一時佛在舍衛國
祇樹給孤獨園與大比丘衆
千二百五十人俱尒時世尊
食時著衣持鉢入舍衛大城
乞食於其城中次第乞已還
至本處飯食訖收衣鉢洗足
已敷座而坐時長老須菩提

在大衆中即從座起偏袒右
肩右膝著地合掌恭敬而白
佛言希有世尊如来善護念
諸菩薩善付囑諸菩薩世尊
善男子善女人發阿耨多羅
三藐三菩提心應云何住云
何降伏其心佛言善哉善哉
須菩提如汝所說如来善護

念諸菩薩善付囑諸菩薩汝
今諦聽當為汝說善男子善
女人發阿耨多羅三藐三菩
提心應如是住如是降伏其
心唯然世尊願樂欲聞
佛告須菩提諸菩薩摩訶薩
應如是降伏其心所有一切
衆生之類若卵生若胎生若

濕生若化生若有色若無色
若有想若無想若非有想非非
無想我皆令入無餘涅槃而
滅度之如是滅度無量無數
無邊衆生實無衆生得滅度
者何以故須菩提若菩薩有
我相人相衆生相壽者相即
非菩薩　復次須菩提菩薩

於法應無所住行於布施所
謂不住色布施不住聲香味
觸法布施須菩提菩薩應如
是布施不住於相何以故若
菩薩不住相布施其福德不
可思量須菩提於意云何東
方虛空可思量不不也世尊
須菩提南西北方四維上下

虛空可思量不不也世尊須菩提菩薩無住相布施福德亦復如是不可思量須菩提菩薩但應如所教住須菩提於意云何可以身相見如来不不也世尊不可以身相得見如来何以故如来所說身相即非身相佛告須菩提凡

所有相皆是虛妄若見諸相
非相則見如來須菩提白
佛言世尊頗有衆生得聞如
是言說章句生實信不佛告
須菩提莫作是說如來滅後
後五百歲有持戒修福者於
此章句能生信心以此為實
當知是人不於一佛二佛三

四五佛而種善根已於無量
千萬佛所種諸善根聞是章
句乃至一念生淨信者須菩
提如來悉知悉見是諸衆生
得如是無量福德何以故是
諸衆生無復我相人相衆生
相壽者相無法相亦無非法
相何以故是諸衆生若心取

相則為著我人衆生壽者若
取法相即著我人衆生壽者
何以故若取非法相即著我
人衆生壽者是故不應取法
不應取非法以是義故如来
常說汝等比丘知我說法如
筏喻者法尚應捨何况非法
須菩提於意云何如来得阿

耨多羅三藐三菩提耶如来
有所說法耶須菩提言如我
解佛所說義無有定法名阿
耨多羅三藐三菩提亦無有
定法如来可說何以故如来
所說法皆不可取不可說非
法非非法所以者何一切賢
聖皆以無為法而有差别

須菩提於意云何若人滿三
千大千世界七寳以用布施
是人所得福德寧爲多不須
菩提言甚多世尊何以故是
福德即非福德性是故如来
説福德多若復有人於此經
中受持乃至四句偈等爲他
人説其福勝彼何以故須菩

提一切諸佛及諸佛阿耨多
羅三藐三菩提法皆從此經
出須菩提所謂佛法者即非
佛法須菩提於意云何須陁
洹能作是念我得須陁洹果
不須菩提言不也世尊何以
故須陁洹名為入流而無所
入不入色聲香味觸法是名

須陁洹須菩提於意云何斯陁含能作是念我得斯陁含果不須菩提言不也世尊何以故斯陁含名一往来而實無往来是名斯陁含須菩提於意云何阿那含能作是念我得阿那含果不須菩提言不也世尊何以故阿那含名

為不来而實無来是故名阿
那含須菩提於意云何阿羅
漢能作是念我得阿羅漢道
不須菩提言不也世尊何以
故實無有法名阿羅漢世尊
若阿羅漢作是念我得阿羅
漢道即為著我人衆生壽者
世尊佛說我得無諍三昧人

中最為第一是第一離欲阿
羅漢我不作是念我是離欲
阿羅漢世尊我若作是念我
得阿羅漢道世尊則不說須
菩提是樂阿蘭那行者以須
菩提實無所行而名須菩提
是樂阿蘭那行佛告須菩提
於意云何如來昔在然燈佛

所於法有所得不世尊如来
在然燈佛所於法實無所得
須菩提於意云何菩薩莊嚴
佛土不不也世尊何以故莊
嚴佛土者則非莊嚴是名莊
嚴是故須菩提諸菩薩摩訶
薩應如是生清淨心不應住
色生心不應住聲香味觸法

生心應無所住而生其心須
菩提譬如有人身如須弥山
王於意云何是身爲大不須
菩提言甚大世尊何以故佛
說非身是名大身

須菩提
如恒河中所有沙數如是沙
等恒河於意云何是諸恒河
沙寧爲多不須菩提言甚多

世尊但諸恒河尚多無數何
況其沙須菩提我今實言告
汝若有善男子善女人以七
寶滿尒所恒河沙數三千大
千世界以用布施得福多不
須菩提言甚多世尊佛告須
菩提若善男子善女人於此
經中乃至受持四句偈等為

他人說而此福德勝前福德
復次須菩提隨說是經乃至
四句偈等當知此處一切世
間天人阿脩羅皆應供養如
佛塔廟何況有人盡能受持
讀誦須菩提當知是人成就
最上第一希有之法若是經
典所在之處則為有佛若尊

重弟子　尒時須菩提白佛
言世尊當何名此經我等云
何奉持佛告須菩提是經名
為金剛般若波羅蜜以是名
字汝當奉持所以者何須菩
提佛說般若波羅蜜則非般
若波羅蜜須菩提於意云何
如来有所說法不須菩提白

佛言世尊如来無所說須菩
提於意云何三千大千世界
所有微塵是為多不須菩提
言甚多世尊須菩提諸微塵
如来說非微塵是名微塵如
来說世界非世界是名世界
須菩提於意云何可以三十
二相見如来不不也世尊何

以故如来說三十二相即是
非相是名三十二相須菩提
若有善男子善女人以恒河
沙等身命布施若復有人於
此經中乃至受持四句偈等
為他人說其福甚多 尒時
須菩提聞說是經深解義趣
涕淚悲泣而白佛言希有世

尊佛說如是甚深經典我從
昔来所得慧眼未曾得聞如
是之經世尊若復有人得聞
是經信心清淨則生實相當
知是人成就第一希有功德
世尊是實相者則是非相是
故如来說名實相世尊我今
得聞如是經典信解受持不

之為難若當來世後五百歲其有衆生得聞是經信解受持是人則為第一希有何以故此人無我相人相衆生相壽者相所以者何我相即是非相人相衆生相壽者相即是非相何以故離一切諸相則名諸佛佛告須菩提如

是如是若復有人得聞是經
不驚不怖不畏當知是人甚
為希有何以故須菩提如來
說第一波羅蜜非第一波羅
蜜是名第一波羅蜜須菩
提忍辱波羅蜜如來說非忍
辱波羅蜜何以故須菩提如
我昔為歌利王割截身體我

於尒時無我相無人相無衆
生相無壽者相何以故我於
往昔節節支解時若有我相
人相衆生相壽者相應生瞋
恨須菩提又念過去於五百
世作忍辱仙人於尒所世無
我相無人相無衆生相無壽
者相是故須菩提菩薩應離

一切相發阿耨多羅三藐三
菩提心不應住色生心不應
住聲香味觸法生心應生無
所住心若心有住則為非住
是故佛說菩薩心不應住色
布施須菩提菩薩為利益一
切衆生應如是布施如来說
一切諸相即是非相又說一

切衆生則非衆生須菩提如
来是真語者實語者如語者
不誑語者不異語者須菩提
如来所得法此法無實無虚
須菩提若菩薩心住於法而
行布施如人入闇則無所見
若菩薩心不住法而行布施
如人有目日光明照見種種

色須菩提當來之世若有善
男子善女人能於此經受持
讀誦則為如來以佛智慧悉
知是人悉見是人皆得成就
無量無邊功德須菩提若
有善男子善女人初日分以
恒河沙等身布施中日分復
以恒河沙等身布施後日分

亦以恒河沙等身布施如是無量百千萬億劫以身布施若復有人聞此經典信心不逆其福勝彼何況書寫受持讀誦為人解說須菩提以要言之是經有不可思議不可稱量無邊功德如来為發大乘者說為發最上乘者說若

有人能受持讀誦廣為人說
如来悉知是人悉見是人皆
成就不可量不可稱無有邊
不可思議功德如是人等則
為荷擔如来阿耨多羅三藐
三菩提何以故須菩提若樂
小法者著我見人見衆生見
壽者見則於此經不能聽受

讀誦為人解說須菩提在在
處處若有此經一切世間天
人阿脩羅所應供養當知此
處則為是塔皆應恭敬作礼
圍繞以諸華香而散其處
復次須菩提善男子善女人
受持讀誦此經若為人輕賤
是人先世罪業應墮惡道以

今世人輕賤故先世罪業則
為消滅當得阿耨多羅三藐
三菩提須菩提我念過去無
量阿僧祇劫於然燈佛前得
值八百四千萬億那由他諸
佛悉皆供養承事無空過者
若復有人於後末世能受持
讀誦此經所得功德於我所

供養諸佛功德百分不及一
千萬億分乃至算數譬喻所
不能及須菩提若善男子善
女人於後末世有受持讀誦
此經所得功德我若具說者
或有人聞心則狂亂狐疑不
信須菩提當知是經義不可
思議果報亦不可思議尒

時須菩提白佛言世尊善男
子善女人發阿耨多羅三藐
三菩提心云何應住云何降
伏其心佛告須菩提善男子
善女人發阿耨多羅三藐三
菩提者當生如是心我應滅
度一切衆生滅度一切衆生
已而無有一衆生實滅度者

何以故若菩薩有我相人相衆生相壽者相則非菩薩所以者何須菩提實無有法發阿耨多羅三藐三菩提者須菩提於意云何如来於然燈佛所有法得阿耨多羅三藐三菩提不不也世尊如我解佛所說義佛於然燈佛所無

有法得阿耨多羅三藐三菩
提佛言如是如是須菩提實
無有法如来得阿耨多羅三
藐三菩提須菩提若有法如
来得阿耨多羅三藐三菩提
然燈佛則不與我授記汝於
来世當得作佛号釋迦牟尼
以實無有法得阿耨多羅三

藐三菩提是故然燈佛與我授記作是言汝於來世當得作佛號釋迦牟尼何以故如来者即諸法如義若有人言如来得阿耨多羅三藐三菩提須菩提實無有法佛得阿耨多羅三藐三菩提須菩提如来所得阿耨多羅三藐三

菩提於是中無實無虛是故
如来說一切法皆是佛法須
菩提所言一切法者即非一
切法是故名一切法須菩提
譬如人身長大須菩提言世
尊如来說人身長大則為非
大身是名大身須菩提菩薩
亦如是若作是言我當滅度

無量衆生則不名菩薩何以故須菩提無有法名為菩薩是故佛說一切法無我無人無衆生無壽者須菩提若菩薩作是言我當莊嚴佛土是不名菩薩何以故如来說莊嚴佛土者即非莊嚴是名莊嚴須菩提若菩薩通達無我

法者如来說名真是菩薩
須菩提於意云何如来有肉
眼不如是世尊如来有肉眼
須菩提於意云何如来有天
眼不如是世尊如来有天眼
須菩提於意云何如来有慧
眼不如是世尊如来有慧眼
須菩提於意云何如来有法

眼不如是世尊如来有法眼
須菩提於意云何如来有佛
眼不如是世尊如来有佛眼
須菩提於意云何恒河中所
有沙佛説是沙不如是世尊
如来説是沙須菩提於意云
何如一恒河中所有沙有如
是等恒河是諸恒河所有沙

數佛世界如是寧為多不甚
多世尊佛告須菩提尒所國
土中所有衆生若干種心如
来悉知何以故如来說諸心
皆為非心是名為心所以者
何須菩提過去心不可得現
在心不可得未来心不可得
須菩提於意云何若有人滿

三千大千世界七寶以用布
施是人以是因緣得福多不
如是世尊此人以是因緣得
福甚多須菩提若福德有實
如来不說得福德多以福德
無故如来說得福德多須菩
提於意云何佛可以具足色
身見不不也世尊如来不應

以色身見何以故如来說具
足色身即非具足色身是名
具足色身須菩提於意云何
如来可以具足諸相見不不
也世尊如来不應以具足諸
相見何以故如来說諸相具
足即非具足是名諸相具足
須菩提汝勿謂如来作是念

我當有所說法莫作是念何
以故若人言如来有所說法
即為謗佛不能解我所說故
須菩提說法者無法可說是
名說法須菩提白佛言世尊
佛得阿耨多羅三藐三菩提
為無所得耶如是如是須菩
提我於阿耨多羅三藐三菩

提乃至無有少法可得是名
阿耨多羅三藐三菩提復次
須菩提是法平等無有高下
是名阿耨多羅三藐三菩提
以無我無人無衆生無壽者
修一切善法則得阿耨多羅
三藐三菩提須菩提所言善
法者如来說非善法是名善

法須菩提若三千大千世界中所有諸須弥山王如是等七寶聚有人持用布施若人以此般若波羅蜜經乃至四句偈等受持為他人說於前福德百分不及一百千萬億分乃至筭數譬喻所不能及須菩提於意云何汝等勿謂

如来作是念我當度衆生須
菩提莫作是念何以故實無
有衆生如来度者若有衆生
如来度者如来則有我人衆
生壽者須菩提如来説有我
者則非有我而凡夫之人以
為有我須菩提凡夫者如来
説則非凡夫須菩提於意云

何可以三十二相觀如來不
須菩提言如是如是以三十
二相觀如來佛言須菩提若
以三十二相觀如來者轉輪
聖王則是如來須菩提白佛
言世尊如我解佛所說義不
應以三十二相觀如來尒時
世尊而說偈言

若以色見我
是人行邪道
以音聲求我
不能見如来
須菩提汝若作是念如来不
以具足相故得阿耨多羅三
藐三菩提須菩提莫作是念
如来不以具足相故得阿耨
多羅三藐三菩提須菩提汝
若作是念發阿耨多羅三藐

三菩提者說諸法斷滅莫作
是念何以故發阿耨多羅三
藐三菩提者於法不說斷滅
相須菩提若菩薩以滿恒河
沙等世界七寶布施若復有
人知一切法無我得成於忍
此菩薩勝前菩薩所得功德
須菩提以諸菩薩不受福德

故須菩提白佛言世尊云何
菩薩不受福德須菩提菩薩
所作福德不應貪著是故說
不受福德須菩提若有人言
如來若來若去若坐若臥是
人不解我所說義何以故如
來者無所從來亦無所去故
名如來須菩提若善男子善

女人以三千大千世界碎為
微塵於意云何是微塵衆寧
為多不甚多世尊何以故若
是微塵衆實有者佛則不說
是微塵衆所以者何佛說微
塵衆則非微塵衆是名微塵
衆世尊如来所說三千大千
世界則非世界是名世界何

以故若世界實有則是一合
相如來說一合相則非一合
相是名一合相須菩提一合
相者則是不可說但凡夫之
人貪著其事須菩提若人言
佛說我見人見衆生見壽者
見須菩提於意云何是人解
我所說義不世尊是人不解

如来所説義何以故世尊説
我見人見衆生見壽者見即
非我見人見衆生見壽者見
是名我見人見衆生見壽者
見須菩提發阿耨多羅三藐
三菩提心者於一切法應如
是知如是見如是信解不生
法相須菩提所言法相者如

來說即非法相是名法相須
菩提若有人以滿無量阿僧
祇世界七寶持用布施若有
善男子善女人發菩薩心者
持於此經乃至四句偈等受
持讀誦為人演說其福勝彼
云何為人演說不取於相如
如不動何以故

一切有為法　如夢幻泡景
如露亦如電　應作如是觀
佛說是經已長老須菩提及
諸比丘比丘尼優婆塞優婆
夷一切世間天人阿脩羅聞
佛所說皆大歡喜信受奉行
金剛般若波羅蜜經

長慶四年四月六日翰林 侍書
學士朝議郎行右補闕上輕車
都尉賜緋魚袋柳公權爲右街
僧錄準公書

强演邵建和刻